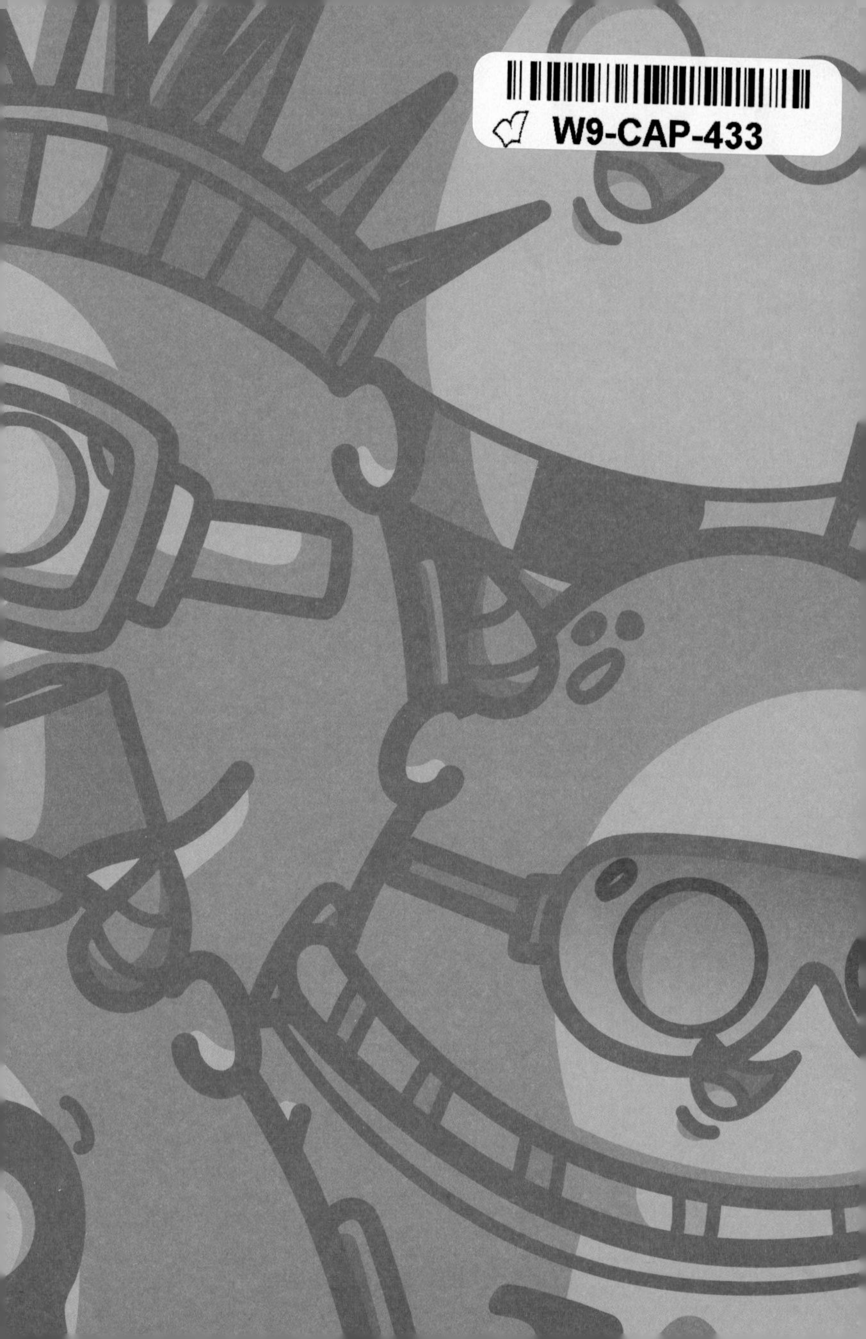

LES

DRAGOUILLES

LES BLEUES DE NEW YORK

Mot des auteurs

Hello my friends!

Pour ce nouveau rendez-vous, nous voici à New York, la ville la plus peuplée des États-Unis. Pétillante et agitée, cette ville pourrait se comparer à une bouteille de champagne. Imaginez ce qui se passerait si on la secouait.

En visite à New York, le problème n'est pas de savoir quoi faire, mais plutôt d'avoir assez de temps pour tout faire. Les nombreux spectacles, les musées, les magasins, les quartiers branchés, les immeubles et monuments célèbres sont autant de choses à mettre au programme quand on veut bien profiter d'un passage dans cette ville fascinante.

Pas facile pour nous de faire entrer New York dans 84 pages! Tout faire, tout voir, telle était notre devise.

Faites sauter le bouchon et préparez-vous à plonger, vous aussi, dans l'effervescence d'une des villes les plus animées du globe.

Pop! C'est parti!

- Max et Karine -

AMÉRIQUES

On trouve des dragouilles partout dans le monde !

La couleur de leurs ailes et de leurs cornes change selon le continent où elles vivent.

EUROPE

ASIE

AFRIQUE

OCÉANIE

VOICI LES DRAGOUILLES QUE TU VAS RENCONTRER :

LES JUMEAUX

Les jumeaux se croient les pros des jeux de mots. Pourtant, ils sont souvent les seuls à se trouver rigolos !

L'ARTISTE

C'est la plus créative de la bande. Elle dessine partout, même sur sa voisine !

LA BRANCHÉE

Voici la dragouille ultra-tendance. Tellement branchée qu'elle électrise tout sur son passage.

LA GEEK

Cette dragouille a hérité d'un petit extra de neurones entre les deux oreilles. À elle seule, elle fait remonter la moyenne du groupe !

LE CUISTOT

Cette dragouille à toque sait cuisiner bien plus que des hot dogs ! Pâté d'anchois à la sauce poubelle, ça te dit ?

LA REBELLE

La rebelle est la dragouille casse-cou et casse-tout. Elle ne craint rien ni personne. C'est une sacrée fripone !

Les bleues

Tu cherches des dragouilles bleues sur les toits de New York? Bonne chance, parce qu'elles ont un agenda bien rempli. Ces coquines sont toujours pressées et en mouvement. C'est vrai qu'à New York il y a beaucoup de choses à faire et à observer pour des petites bêtes curieuses comme elles.

En vraies dragouilles, elles trouveront toujours un petit moment pour se relaxer la patate au coin d'une gouttière. C'est là que tu auras peut-être la chance de surprendre une de ces drôles de créatures.

Qui est au téléphone?

Mmm ! Elle est bonne la grosse pomme !

LA GROSSE POMME

The Big Apple (la Grosse Pomme) est un surnom souvent employé pour désigner la ville de New York. Dans les années 1920, un journaliste aurait utilisé pour la première fois cette expression pour désigner le champ de courses de la métropole. Par la suite, dans les années 1930, les musiciens de jazz auraient attribué ce drôle de sobriquet à la ville entière. En 1970, *The Big Apple* est devenu le slogan publicitaire de la municipalité qui voulait ainsi rappeler l'effervescence de la belle époque du jazz à New York.

N'AIE PAS LA TROUILLE, PETITE DRAGOUILLE

C'est bien connu, les jumeaux adorent jouer avec les mots. Ils ont découvert, à New York, plusieurs expressions en anglais qui les font bien rigoler parce qu'elles riment avec des noms d'animaux ou d'insectes.

BEST WISHES, LITTLE FISHES
MEILLEURS VŒUX, PETITS POISSONS

SEE YOU LATER, ALLIGATOR
À PLUS TARD, ALLIGATOR

SEE YOU SOON, BIG BABOON
ON SE VOIT BIENTÔT, GROS BABOUIN

BYE BYE, FRUIT FLY
AU REVOIR, MOUCHE À FRUIT

GOTTA GO, BUFFALO
JE DOIS Y ALLER, BISON

JAUNE TAXI

QUI DIT NEW YORK, DIT TAXIS! ILS SONT AU MOINS 13 000 À PARCOURIR LES RUES DE LA VILLE. EN FAIT, CE N'EST PAS TANT LEUR NOMBRE QUE LEUR COULEUR QUI FAIT LEUR RENOMMÉE.

Le *yellow cab* (« taxi jaune ») est devenu, au fil du temps, un des symboles de New York. C'est la raison pour laquelle cette couleur est obligatoire pour tous les taxis. Mais pourquoi le jaune? Était-ce la couleur préférée du premier chauffeur de taxi de la ville? Pas tout à fait. John Hertz, l'homme qui a fondé la Yellow Cab Company en 1915, aurait lu une étude qui révélait que le jaune était la couleur la plus facile à repérer de loin. C'est ce qui aurait motivé son choix.

Les taxis de New York subiront bientôt une cure de rajeunissement. Ils ne changeront certainement pas de couleur, mais ils adopteront tous le même modèle d'automobile. Pour décrocher ce fabuleux contrat, les constructeurs devront proposer une voiture sécuritaire et écologique. Rassure-toi, quoi qu'il arrive, les New-Yorkais continueront à voir la vie en jaune.

Je vois la vie en jaune taxi!

COFFRE À JOUETS

FAO SCHWARZ EST LE MAGASIN DE JOUETS LE PLUS ANCIEN DES ÉTATS-UNIS. IL RAVIT LES ENFANTS DEPUIS PLUS D'UN SIÈCLE.

Suis-nous à l'intérieur de cet immense coffre à jouets de trois étages. Le rez-de-chaussée est réservé aux vêtements de bébé et aux livres.

Une partie du premier étage est occupée par la pouponnière. Tu peux contempler les poupées à travers une grande fenêtre et regarder de fausses infirmières (vendeuses) en prendre soin. Tu craques pour l'un de ces nouveau-nés ? Adoptes-en un et tu pourras le câliner à volonté.

Cet étage abrite aussi une grande quantité d'animaux en peluche. Si, par hasard, il reste assez de place dans ta chambre pour accueillir une girafe ou un éléphant gigantesque, c'est là que tu le trouveras.

L'attrait numéro un du deuxième étage est sans nul doute le clavier de piano géant sur lequel des danseurs font d'impressionnantes performances.

Tu as aimé ta visite ?
Dis-toi qu'il ne s'agissait ici que d'un bref aperçu, car ce paradis du jouet est si immense qu'on n'en finit plus d'être surpris.

Crois-tu que c'est parce que le ciel a des démangeaisons que les humains construisent des gratte-ciel ?

De l'art qui pop!

SAVAIS-TU QUE TU POUVAIS TRANSFORMER N'IMPORTE QUEL OBJET DE TON QUOTIDIEN EN ŒUVRE D'ART ?

Après avoir lu cette chronique sur le *pop art*, tu ne verras plus jamais les boîtes de conserve de la même façon !

Aux État-Unis, le mouvement artistique du *pop art* a pris forme dans les années 1960. Le terme *pop art* est une abréviation de *popular art* (« art populaire »). Les artistes de ce courant voulaient dénoncer la société de consommation et démontrer à quel point la publicité, les magazines et la télévision influençaient le comportement des gens et les incitaient à acheter. Ils souhaitaient aussi rendre l'art accessible à tous.

Pour créer leurs œuvres et transmettre leur message, les artistes du *pop art* utilisaient de banals objets comme des bouteilles de boisson gazeuse, des bicyclettes ou des images de vedettes de leur époque. Leurs créations faisaient souvent penser à des publicités, tout en ayant parfois un petit air de bande dessinée.

L'ARTISTE ANDY WARHOL EST L'UN DES PIONNIERS DU « POP ART».

Ses œuvres, représentant des produits américains tels que des boîtes de soupe Campbell ou le portrait de Marilyn Monroe, l'ont fait connaître partout dans le monde.

En 1964, Warhol a fondé «The Factory» dans un loft de New York. C'était son atelier mais aussi son studio d'enregistrement. Cet artiste avait de multiples talents : peintre, réalisateur de films, producteur de musique et auteur. «The Factory» servait aussi de lieu de rencontre pour des artistes de différents milieux comme la musique et la littérature. Inutile de te dire que, dans ce lieu devenu mythique, il s'en est brassé des idées !

1-2-3 POP ARTEZ!

Fais un Andy Warhol de toi et «pop art» ton portrait. Si tu préfères, tu peux réaliser le même bricolage avec une image de dragouille que tu trouveras dans la section « Bric-à-brac » du site Web de la série : lesdragouilles.com.

1 Choisis une photo de toi sur laquelle on voit bien ton visage et dont l'arrière-plan est pâle.

2 Fais quatre impressions en noir et blanc de cette photo.

3 Découpe chaque impression de façon à ne garder que la partie de la photo où l'on voit ta tête et ton buste. Attention, toutes les images devront être de la même dimension.

4 Colle les images sur une feuille en faisant deux rangées de deux images.

Avec des crayons de couleur, colorie l'arrière-plan de chaque photo d'une couleur différente et vive.

 Ajoute au moins trois autres couleurs par photo en utilisant, cette fois, des crayons-feutres. Accentue certains éléments de l'image. Par exemple, tu peux mettre une touche de rouge sur tes lèvres et du bleu sur tes paupières.

COMMENT TE TROUVES-TU EN VEDETTE « POP ART » ?

Tu peux mettre ton œuvre dans un joli cadre ou t'en servir pour décorer ton agenda scolaire. Toutes les idées sont bonnes !

Je rougis devant ton talent !

La branchée

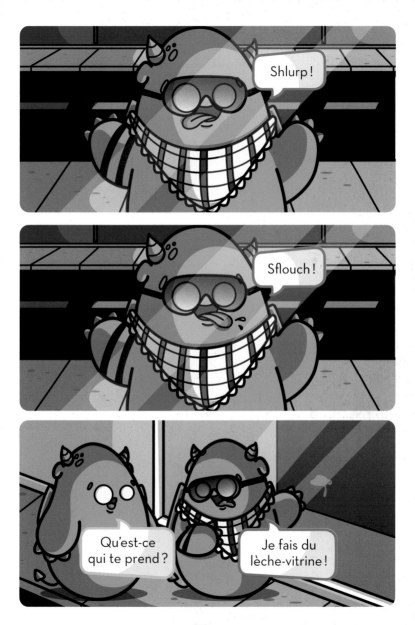

LE POUMON
DE LA VILLE

QUI POURRAIT SE DOUTER QU'IL EXISTE À NEW YORK, À PROXIMITÉ DES GRATTE-CIEL ET DU RYTHME EFFRÉNÉ DE LA VILLE, UNE VÉRITABLE OASIS DE VERDURE ?

Ce gigantesque espace vert se nomme Central Park. Il mesure 4 km de long sur 800 mètres de large. Les New-Yorkais y font de belles balades à pied, à bicyclette ou en patins à roulettes. Cet endroit permet aux gens qui vivent dans la ville la plus peuplée des États-Unis de prendre un bon bol d'air pur. Dans la journée, les touristes se mêlent aux New-Yorkais pour profiter eux aussi de ce magnifique parc urbain. Chaque année, plus de 25 millions de personnes viennent s'y promener.

À Central Park, il est impossible de s'ennuyer. On peut, entre autres, se rendre au musée d'histoire naturelle ou au Metropolitan Museum of Art, visiter le zoo, faire un tour de gondole sur un des bassins ou assister à des concerts.

Avec ses 250 000 arbres, Central Park est véritablement le poumon de la ville. Il contribue grandement à améliorer la qualité de l'air de New York. Cet espace vert ne plaît pas seulement aux êtres humains, il sert de refuge à plus de 200 espèces d'oiseaux ainsi qu'à plusieurs mammifères comme les écureuils, les chauves-souris et les marmottes

JE T'AIME LA BRANCHÉE.

ADOPTE UN BANC ET LAISSE PARLER TON CŒUR!

Les bancs de Central Park racontent de belles histoires. Je t'aime, veux-tu m'épouser, reviens vite… voilà le genre de messages que l'on peut lire sur les dossiers de ce mobilier urbain.

Attention, ici on ne parle pas d'actes de vandalisme. Il s'agit de messages gravés sur de petites plaques apposées sur les bancs en toute légalité. L'envie de dévoiler tes sentiments à l'être aimé te titille? Adopte un banc à Central Park! Cela te coûtera de 7 500 à 25 000 $ américains. Tu trouves que ça fait cher la déclaration? Dis-toi qu'en plus de faire plaisir à l'élu de ton cœur, tu contribueras à préserver ce magni-

I LOVE NY

DES MILLIONS DE T-SHIRTS « I LOVE NY » SONT VENDUS CHAQUE ANNÉE. IL S'AGIT DU LOGO LE PLUS PORTÉ ET LE PLUS COPIÉ DU MONDE.

En 1977, la ville de New York a voulu attirer davantage de touristes. Elle engagea donc une agence de publicité et lui donna le mandat de concevoir une importante campagne de promotion. Le graphiste et typographe Milton Glaser travailla sur ce projet. C'est à lui que l'on doit le fameux logo « I LOVE NY ».

Cette campagne publicitaire ne devait durer que quelques mois, mais le logo « I LOVE NY » est rapidement devenu le véritable symbole graphique de la ville. Cette image a réussi à traverser les années et les modes, si bien qu'encore aujourd'hui, on la retrouve sur une multitude de produits dérivés.

Moi, ce sont les les dragouilles que je « love » !

BOULE QUI ROULE...

TIMES SQUARE EST L'UN DES QUARTIERS LES PLUS ANIMÉS DU MONDE. CHAQUE JOUR, ENVIRON 365 000 PERSONNES Y PASSENT.

Comment savoir si tu te trouves bien à Times Square? Facile! Si tu as l'impression d'être sur une autre planète et que tu vois des milliers de lumières clignoter partout autour de toi, alors c'est bon, tu es au bon endroit. Ce carrefour commercial est bordé de gratte-ciel et de gigantesques panneaux publicitaires lumineux.

À l'occasion du réveillon du jour de l'An, un million de personnes se rendent à Times Square pour regarder la célèbre boule descendre d'un mât haut de 20 mètres; une tradition centenaire. Il s'agit d'une boule qui mesure 4 mètres de diamètre, pèse 5 tonnes et est recouverte de 2 668 triangles de cristal. La fébrilité est à son comble lorsqu'à 23 h 59 la sphère amorce sa descente. Elle atteint le sol à minuit sous les cris et les applaudissements de tous ceux qui assistent à l'événement.

Boule qui roule n'amasse pas mousse, mais déplace des foules!

UNE VILLE QUI MARCHE !

POUR ÊTRE TENDANCE À NEW YORK, IL FAUT AVOIR UNE BONNE PAIRE DE CHAUSSURES DE SPORT AUX PIEDS ET MARCHER !

Pour se déplacer dans leur ville, les New-Yorkais marchent en moyenne 11 km par jour. Ce sont les « champions piétons » de tous les États-Unis.

La branchée est toujours surprise d'apercevoir une New-Yorkaise qui se rend au travail et qui porte un joli tailleur et de grosses chaussures de sport. C'est facile de rigoler lorsqu'on est une dragouille et qu'on n'a pas de pieds ! Pour marcher rapidement et longtemps, il faut évidemment être bien chaussé. Les New-Yorkaises l'ont compris et font donc trêve de coquetterie le temps de se rendre au boulot. Leurs talons hauts les attendent bien sagement au bureau.

Ça c'est le pied !

Mieux vaut être bizarrement chaussée que d'avoir des ampoules aux pieds.

Si j'avance encore un peu...

... je serai vraiment dans la lune !

Devinettes

1) POURQUOI KING KONG A-T-IL ESCALADÉ L'EMPIRE STATE BUILDING ?

2) COMMENT APPELLE-T-ON UN CHIEN QUI N'A PAS DE PATTES ?

3) QUEL SERAIT LE COMBLE DU MALHEUR POUR UNE POMME DE TERRE ?

4) POURQUOI UN ORDINATEUR SE GRATTE-T-IL ?

5) QUELLE EST LA DIFFÉRENCE ENTRE UN ROBOT ET DU KETCHUP ?

6) QUE DIT LE HIBOU À SA FEMME AU JOUR DE L'AN ?

7) COMMENT APPELLE-T-ON UN RAT FLÉTRI ?

8) QU'EST-CE QU'UNE CHAUVE-SOURIS AVEC UNE PERRUQUE ?

1) PARCE QU'IL N'ENTRAIT PAS DANS L'ASCENSEUR 2) UN HOT DOG
3) CE SERAIT QU'ELLE S'ÉFRITE 4) PARCE QU'IL A DES PUCES
5) IL N'Y EN A PAS, ILS SONT TOUS LES DEUX AUX TOMATES (AUTOMATE)
6) JE TE CHOUETTE UNE BONNE ANNÉE 7) UN RATATINÉ
8) C'EST UNE SOURIS

Des murs qui parlent ?

NE SOIS PAS SURPRIS SI, EN TE PROMENANT DANS LES RUES DE NEW YORK, TU APERÇOIS DE PETITES PIÈCES DE MÉTAL QUI DÉPASSENT DES MURS.

Il s'agit de clés USB, c'est-à-dire de petits outils informatiques qui servent à emmagasiner des données.

L'artiste allemand Aram Bartholl a cimenté une clé USB dans l'un des murs de cinq édifices dans la ville. Son intention était de permettre aux New-Yorkais d'échanger librement des fichiers.

Pas besoin de connexion Internet, les gens n'ont qu'à brancher leur ordinateur portable sur la clé USB pour en télécharger le contenu surprise. Inversement, ils peuvent à leur tour y déposer des images, des photos, de la musique, etc. Cette idée a fait du chemin, car des clés USB ont poussé sur les murs de 35 autres villes dans le monde.

Ah ! Je ne savais pas que les murs pouvaient parler !

D'après toi, quel contenu la geek est-elle en train de partager ?

- Le plan de sa dernière invention ?
- Des secrets sur la ville ?
- De drôles de vidéos sur les dragouilles ?

TOUT UN CADEAU!

LA STATUE DE LA LIBERTÉ EST LE MONUMENT LE PLUS CÉLÈBRE DE NEW YORK. DES MILLIERS DE PERSONNES LUI RENDENT VISITE CHAQUE JOUR.

Cette gigantesque sculpture a été offerte par la France aux États-Unis pour commémorer le centenaire de l'indépendance américaine et en guise d'amitié entre les deux pays.

La statue est l'œuvre du sculpteur Frédéric Auguste Bartholdi. Devine de qui cet artiste s'est inspiré pour façonner le visage de la statue? Eh bien, son modèle fut nulle autre que sa maman, Charlotte.

Bonjour Charlotte!

LA CONSTRUCTION

La peau de la statue est faite d'une couche de cuivre qui n'est pas plus épaisse qu'une pièce de monnaie. Pour la construction de l'ossature de fer de la statue, Bartholdi a fait appel à Gustave Eiffel, le même ingénieur qui a créé la célèbre tour qui porte son nom, à Paris. Une fois la statue terminée, elle fut démontée et expédiée en pièces détachées, par bateau, vers les États-Unis. Elle fut ensuite assemblée en 4 mois.

Depuis 1886, la statue de la Liberté trône sur Liberty Island, située à l'embouchure de la rivière Hudson. Elle regarde vers l'Europe, son continent d'origine.

LA STATUE DE LA LIBERTÉ :

LES VISITEURS DOIVENT EMPRUNTER UN MINUSCULE ESCALIER EN COLIMAÇON DE 354 MARCHES POUR SE RENDRE À L'INTÉRIEUR DE SA COURONNE.

SA MAIN MESURE 5 MÈTRES.

ELLE PÈSE PLUS DE 200 TONNES.

ELLE FAIT 92,99 MÈTRES DE HAUT.

LES SEPT POINTES DE SA COURONNE REPRÉSENTENT LES SEPT MERS ET CONTINENTS DU MONDE.

LA STATUE EN FOLIE

1886 - LA LÉGENDE DU MOT «GADGET»

On raconte qu'à l'inauguration de la statue de la Liberté, la compagnie française Gaget-Gauthier aurait distribué des miniatures de la statue aux invités. Dans la foule, les gens se seraient demandé entre eux : Do you have your gadget? Ce qui veut dire «Avez-vous votre gadget?» C'est ainsi que le nom Gaget fut déformé pour donner le mot «gadget». Depuis ce jour, on utilise ce nouveau vocable, tant en anglais qu'en français, pour désigner un petit objet amusant, mais souvent inutile.

1912 - UN PARACHUTISTE AUDACIEUX

Un réparateur de clochers du nom de Frederick R. Law sauta en parachute depuis le balcon qui entoure la torche de la statue de la Liberté. Les spectateurs ont craint une tragédie en voyant monsieur Law tomber comme une pierre sur une distance de 25 mètres sans que son parachute se déploie. Lorsque le parachute s'ouvrit enfin, le vent propulsa le parachutiste loin de la statue et ce dernier poursuivit sa descente en douceur.

1978 - TOUT UN CANULAR!

Des étudiants plutôt espiègles de l'Université du Wisconsin-Madison ont reproduit une partie de la tête et de la torche de la statue de la Liberté. Ensuite, ils ont placé ces répliques sur un lac gelé de la région. Cela donnait l'impression que la statue avait été jetée dans ce lac et qu'elle était presque entièrement submergée. Ah! Les coquins!

2001 - UN TÉMÉRAIRE MALCHANCEUX

Un Français quelque peu téméraire du nom de Terry Dô rêvait depuis des années d'effectuer un saut en benji du haut de la statue de la Liberté. Pour accomplir son exploit, il s'approcha de la statue à l'aide de son paramoteur dans le but de se poser sur le parapet de la torche. Malheureusement pour lui, la voile de son engin toucha la torche et se coinça. Dô se retrouva alors pris au piège et pendouilla pendant une demi-heure dans le vide avant d'être secouru et arrêté par les policiers.

charade

MON PREMIER EST LE MOT HOMME EN ANGLAIS
MON SECOND EST LA PREMIÈRE LETTRE DE L'ALPHABET
MON TROISIÈME SIGNIFIE LA DURÉE

**MON TOUT EST UN DES QUARTIERS LES PLUS CONNUS
DE LA VILLE DE NEW YORK**

SURVOL

Une dragouille vient de survoler ce célèbre gratte-ciel.

DEVINE DUQUEL IL S'AGIT.

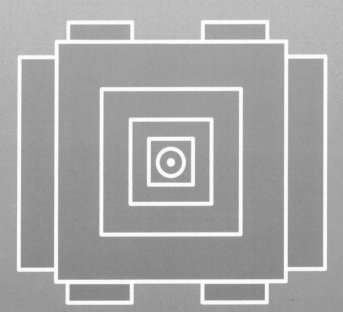

LE défi
de la geek

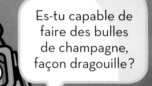

Es-tu capable de faire des bulles de champagne, façon dragouille?

Pour relever le défi, il te faut :

— 15 ml (1 c. à soupe) de bicarbonate de soude

— huile végétale

— 60 ml (1/4 tasse) de vinaigre blanc

— 3 gouttes de colorant alimentaire

— un grand verre transparent

— une tasse à mesurer.

COMMENT FAIRE ?

1 Dépose la cuillère à soupe de bicarbonate de soude dans le verre.

2 Remplis le verre d'huile environ aux 3/4. Verse lentement pour que le bicarbonate reste au fond du verre.

3 Dans la tasse à mesurer, mélange le vinaigre avec le colorant. Vide maintenant ce mélange coloré dans le verre qui contient l'huile et le bicarbonate.

VOILÀ ! TU AS DU CHAMPAGNE À LA DRAGOUILLE ! REGARDE LES BULLES MONTER ET DESCENDRE.

Cette effervescence est créée par le vinaigre et le bicarbonate de soude qui réagissent ensemble et forment du gaz carbonique.

Attention ! Seul un estomac de dragouille peut supporter

Le cuistot

Le Sandwich
Chien Saucisse

MARCHER DANS NEW YORK T'AS CREUSÉ L'APPÉTIT ? AUCUN PROBLÈME ! OUVRE L'ŒIL ET TU VERRAS SÛREMENT, PAS TRÈS LOIN, UN VENDEUR AMBULANT PRÊT À TE SERVIR UN BON HOT DOG.

Le cuistot trouve très étrange la façon dont les humains nomment cette sorte de sandwich. C'est vrai que c'est plutôt curieux. Après tout, le mot « hot dog » signifie « chien chaud » en français.

Cette appellation bizarroïde tirerait son origine des immigrants allemands venus s'établir en Amérique à la fin du XIXᵉ siècle. Ils auraient apporté avec eux tout leur savoir-faire en matière de fabrication de saucisses. Ces nouveaux arrivants auraient aussi importé le teckel, une race de chien mieux connue sous le nom de chien-saucisse. Pour blaguer, les gens auraient fait le rapprochement entre cette race de chien et la viande utilisée pour confectionner les saucisses. Eurk ! On préfère les chiens sur quatre pattes que dans un petit pain, hein ?

Charles Feltman, un immigrant d'origine allemande, serait le premier à avoir servi des hot dogs dans son restaurant de Coney Island, près de New York. On raconte que l'idée d'enrouler une saucisse d'un petit pain lui serait venue en cherchant une façon d'éviter d'avoir à fournir de la vaisselle à ses clients.

Peu importe l'origine réelle des hot dogs, une chose est certaine, les Américains les adorent. Chacun en mange en moyenne 70 par an. Ça en fait de la saucisse !

MANGEURS DE HOT DOGS RECHERCHÉS

Chaque année, dans un des plus vieux restaurants de Coney Island, se tient le Championnat international des mangeurs de hot dogs. Le principe est simple : en manger le plus possible dans un temps donné. Le record est de 68 hot dogs engloutis en 10 minutes.

Avertissement : Ce record a été atteint par un estomac professionnel. Ne tente surtout pas de faire subir la même chose au tien sous peine de restituer tout son contenu d'une façon pas du tout glorieuse et d'être malade comme un chien... chaud.

Un hot dog à la patate, ça vous dit ?

Une tasse de folie

LE «CUPCAKE» EST UN PETIT GÂTEAU D'ORIGINE AMÉRICAINE QUI EST D'ABORD ET AVANT TOUT DÉLICIEUX POUR LES YEUX.

Selon certains, le mot *cupcake* («gâteau-tasse») tirerait son origine du fait qu'anciennement, on faisait cuire ces petits délices dans des tasses. Pour d'autres, ce nom viendrait du fait qu'on utilisait une tasse pour mesurer les ingrédients servant à la préparation de ces petits gâteaux.

Aujourd'hui, les *cupcakes* sont cuits dans des moules individuels et sont décorés avec beaucoup d'originalité. Chocolat, vanille, fraise; les parfums sont variés. Il y en a assurément pour tous les goûts.

Depuis quelques années, ces petits gâteaux sont très à la mode. Les endroits où l'on peut déguster des *cupcakes* sont de plus en plus nombreux dans les grandes villes des États-Unis. À New York, les gens sont prêts à faire la queue longtemps devant la célèbre Magnolia Bakery pour faire le plein de ces petites gâteries.

CUPCAKES À LA DRAGOUILLE BLEUE DE NEW YORK

Recette (donne 12 *cupcakes*)
Il te faut :

- 375 ml (1 1/2 tasse) de farine
- 7 ml (1 1/2 c. à thé) de poudre à pâte
- 2 ml (1/2 c. à thé) de sel
- 125 ml (1/2 tasse) de beurre mou
- 190 ml (3/4 tasse) de sucre
- 2 œufs
- 10 ml (2 c. à thé) d'essence de vanille
- 190 ml (3/4 tasse) de lait
- Moule à muffins
- Moules en papier

Glaçage

- 1 blanc d'œuf
- 375 ml (1 1/2 tasse) de sucre
  à glacer
- 5 ml (1 c. à thé) de jus de citron
- Colorant alimentaire jaune
- Réglisse noire

1. Allume le four à 175 °C (350 °F).

2. Dans un grand bol, tamise la farine, la poudre à pâte et le sel. Ensuite, mélange bien le tout.

3. Bats le beurre en crème dans un autre bol à l'aide d'un malaxeur.

4. Ajoute au beurre : le sucre, les œufs et la vanille. Mélange bien le tout avec une cuillère.

5. Ajoutes-y maintenant, en alternant, le mélange de farine et le lait. Procède avec de petites quantités à la fois.

6. Dispose les papiers dans le moule à muffins et remplis chacun d'eux aux 3/4.

7. Fais cuire environ 30 minutes et laisse refroidir.

---

1. Bats le blanc d'œuf avec un fouet.

2. Ajoute le sucre à glacer, une petite quantité à la fois.

3. Ajoute le jus de citron.

4. Mets des gouttes de colorant alimentaire jusqu'à ce que tu obtiennes un beau jaune taxi.

5. Étends ton glaçage sur chaque petit gâteau.

6. Coupe des petits morceaux de réglisse noire pour écrire le mot taxi sur les petits gâteaux.

Oups! Je crois qu'on a mis trop d'hélium!

GONFLÉS À BLOC!

À L'OCCASION DE L'ACTION DE GRÂCE, LE MAGASIN MACY'S ORGANISE DEPUIS 1924 UNE FABULEUSE PARADE DANS LES RUES DE MANHATTAN.

Le cortège se compose de nombreux chars allégoriques auxquels sont attachés d'immenses ballons gonflés à l'hélium qui défilent devant près de trois millions de spectateurs. Il s'agit d'une véritable tradition new-yorkaise.

LA FOLIE
des hauteurs

AU MOMENT DE LA CONSTRUCTION DE L'EMPIRE STATE BUILDING, DEUX AUTRES GRANDS IMMEUBLES CHERCHAIENT À S'ÉLEVER DANS LE CIEL.

L'architecte du 40 Wall Street, H. Craig Severance, et celui du Chrysler Building, William Van Alen, se menaient une véritable guerre des hauteurs. Pour ravir le titre du gratte-ciel le plus haut, Severance fit ajouter deux étages supplémentaires à son immeuble. La victoire ainsi obtenue fut brève, car son adversaire s'avéra plus rusé. En effet, Van Alen fit construire, en secret, une flèche de 58,4 mètres de haut. Celle-ci fut assemblée à l'intérieur même de son immeuble. L'architecte la fit hisser au sommet du Chrysler Building en seulement une heure et demie. C'est ainsi qu'en 1930, ce gratte-ciel devint le plus haut bâtiment de la ville de New York et du monde.

Cette victoire fut aussi de courte durée, car un an plus tard, l'Empire State Building s'imposa à son tour comme étant le plus haut édifice de la planète. Un statut qu'il conserva jusqu'à ce qu'il soit détrôné par la tour Ostankino de Moscou, en 1967.

UN VÉRITABLE EMPIRE

L'Empire State Building mesure 381 mètres de haut (443 mètres avec l'antenne). Il compte 102 étages. Deux observatoires sont accessibles au public, au 86e et au 102e étage. Chaque année, environ 4 millions de personnes viennent visiter ce gigantesque gratte-ciel.

La construction de l'Empire State Building nécessita plus de 3 400 hommes. Il fut érigé au rythme de quatre étages par semaine. Jusqu'à 400 ouvriers pouvaient travailler sur le chantier en même temps. Ces travailleurs devaient assembler la structure métallique à des centaines de mètres du sol et la plupart du temps sans aucune protection. La construction aura pris 1 an et 45 jours. Incroyable, hein ?

LA COURSE DE L'EMPIRE

Tu penses avoir des mollets à toute épreuve ? Inscris-toi à la course qui consiste à gravir les 1 576 marches comprises entre le hall d'entrée et le 86e étage de l'Empire State Building. Le record est de 9 minutes et 33 secondes.

L'EMPIRE STATE BUILDING AU CINÉMA

On peut apercevoir le célèbre gratte-ciel dans plusieurs films. Son apparition la plus remarquée au cinéma remonte sans aucun doute à 1933, quand nul autre que King Kong, le gorille géant, l'escaladait pour fuir ses assaillants.

FAIS DE L'AIR !

AS-TU DÉJÀ RÊVÉ D'ÊTRE UNE VEDETTE ROCK ? EH BIEN, FAIS DE TON RÊVE UNE RÉALITÉ GRÂCE AU « AIR GUITAR ».

Cette discipline consiste à imiter les gestes et les attitudes des plus grands guitaristes du monde, sans autres accessoires que le son de la musique. Tu dois reproduire avec fougue et justesse des solos de guitare endiablés en tenant une guitare imaginaire dans tes mains. C'est économique, pas vrai ? En plus, tu n'es même pas obligé de savoir jouer de cet instrument.

C'EST DU SÉRIEUX

Chaque année, les meilleurs « airs guitaristes » venus des quatre coins des États-Unis viennent s'affronter au Championnat américain d'*air guitar*, à New York. Les vainqueurs de cette compétition ont le privilège de représenter le pays au Championnat du monde d'*air guitar* qui se déroule annuellement en Finlande.

Je suis la dragouille-araignée !

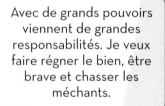

Avec de grands pouvoirs viennent de grandes responsabilités. Je veux faire régner le bien, être brave et chasser les méchants.

Au secours ! Une araignée !

au revoir

C'est en plein cœur d'une forêt de gratte-ciel que les dragouilles viennent vous serrer la pince pour vous dire au revoir. Ayez votre passeport en main et soyez prêts à repartir vers un autre continent où d'autres petites bêtes cornues vous attendent avec impatience.

Surtout, n'oubliez pas de lever les yeux vers le ciel de temps en temps. On ne sait jamais qui pourrait être en train de vous observer!

GLOSSAIRE

Hello my friends : salut mes amis.

Hélium : gaz très léger.

Métropole : ville principale d'un pays.

Parapet : petit mur.

Parasite : personne qui vit
aux dépens des autres.

Paparazzi : photographe, journaliste
qui traque les célébrités.

VIENS NOUS VOIR
EN LIGNE !

LESDRAGOUILLES.COM

LES

DRAGOUILLES

LES CRITIQUES SONT UNANIMES...

« UN LIVRE SANS FAUSSE NOTE »
- SIMON, UN MUSICIEN DE JAZZ

« UN LIVRE SUR LA GROSSE POMME,
QUELLE BONNE IDÉE ! »
- ZACHARY, UN POMICULTEUR

« JE SUIS COMPLÈTEMENT
ÉBLOUIE ! »
- MATHILDE, UNE ÉLECTRICIENNE

« TOTALEMENT DÉROUTANT ! »
- FÉLIX, UN CHAUFFEUR DE TAXI

« BRAVO ! JE VOUS LÈVE
MA COURONNE »
- LA STATUE DE LA LIBERTÉ

LES ORIGINES

MONTRÉAL

PARIS

TOKYO

DAKAR

SYDNEY

J'ai beaucou
de cousines

Catalogage avant publication de Bibliothèque et Archives
nationales du Québec et Bibliothèque et Archives Canada

Cyr, Maxim

  Les dragouilles

    Sommaire: 7. Les bleues de New York -- 8. Les jaunes de Barcelone.
    Pour enfants de 7 ans et plus.

    ISBN 978-2-89435-529-9 (v. 7)
    ISBN 978-2-89435-530-5 (v. 8)

    I. Gottot, Karine. II. Titre. III. Titre: Les bleues de New York. IV.
Titre: Les jaunes de Barcelone.

PS8605.Y72D72 2010   jC843'.6   C2009-942530-0
PS9605.Y72D72 2010

Le Conseil des Arts du Canada
The Canada Council for the Arts

SODEC
Québec

Patrimoine   Canadian
canadien   Heritage

La publication de cet ouvrage a été réalisée grâce au soutien
financier du Conseil des Arts du Canada et de la SODEC.
De plus, les Éditions Michel Quintin reconnaissent l'aide
financière du gouvernement du Canada par l'entremise du
Fonds du livre du Canada pour leurs activités d'édition.

Gouvernement du Québec – Programme de crédit d'impôt
pour l'édition de livres – Gestion SODEC

ISBN 978-2-89435-529-9

Dépôt légal – Bibliothèque et Archives nationales du Québec, 2011
Dépôt légal – Bibliothèque et Archives Canada, 2011

© Copyright 2011

Éditions Michel Quintin
C.P. 340, Waterloo (Québec)
Canada J0E 2N0
Tél.:   450 539-3774
Téléc.: 450 539-4905
editionsmichelquintin.ca

1 1 - W K T - 1

Imprimé en Chine